TÊTE À TÊTE

PORTRAITS DE
HENRI CARTIER-BRESSON

INTRODUCTION
E.H. GOMBRICH

GALLIMARD

Conception graphique et direction artistique : Robert Delpire

© Thames and Hudson Ltd., Londres, 1998.
Photos © Henri Cartier-Bresson/Magnum, 1998.
© Éditions Gallimard, 1998, pour l'édition française.
Traduction du texte de E.H. Gombrich par Jeanne Bouniort.

Tous droits réservés.
Dépôt légal : avril 1998

ISBN 2-07-011594-1

Imprimé en Allemagne en avril 1998.
Imprimerie Steidl-Göttingen

La photographie est une action immédiate,
le dessin, une méditation.

H.C.-B.

LA MYSTÉRIEUSE ALCHIMIE
DE LA RESSEMBLANCE

Il y a un mystère de la ressemblance dans le portrait en général, que l'on songe à la sculpture, au dessin, à la peinture ou à la photographie – un mystère, pour ne pas dire un paradoxe, rarement apprécié à sa juste mesure[1]. Car, enfin, l'impression de vie repose d'ordinaire sur le mouvement. Alors, comment peut-il exister des images fixes qui arrivent à donner ainsi l'impression de se trouver en tête à tête avec une personne réelle, tous ces chefs-d'œuvre de l'art du portrait qui perdurent dans notre imagination, telle la *Joconde* de Léonard de Vinci, ou peut-être le *Cavalier souriant* de Frans Hals ? Parmi ceux dont on connaît le modèle, on pense au buste de Voltaire sculpté par Houdon, et, dans cet album, à la photographie saisissante de Jean-Paul Sartre (pl. 47) prise en 1946, qui, pour beaucoup d'entre nous, reste l'image immuable du champion de l'existentialisme.

Le mystère est même double en l'occurrence, parce que, au fond, nous n'avons aucun moyen de savoir si les portraits considérés sont effectivement ressemblants. Aurions-nous distingué la Joconde en chair et en os dans les rues de Florence ? Aurions-nous reconnu Jean-Paul Sartre et les autres modèles de Cartier-Bresson à une soirée ? Il y a peut-être une seule chose dont on puisse être absolument sûr : ces hommes et ces femmes n'ont pu présenter que l'espace d'un instant l'apparence exacte dont leur portrait conserve le souvenir. L'instant d'après, ils ont pu bouger les yeux, tourner ou pencher la tête, lever les sourcils ou baisser les paupières, plisser le front ou froncer les lèvres et chacun de ces gestes aurait eu pour effet de transformer radicalement leur expression.

Si le langage permet de décrire certains mouvements des muscles du visage, notre sensibilité aux plus infimes nuances dépasse largement le pouvoir des mots. Quand on dit que le regard est le « miroir de l'âme », il faut entendre par là que l'on juge intuitivement le caractère des gens d'après l'expression dominante de leur visage. Voilà pourquoi Hamlet découvre avec stupeur que «l'on peut sourire, oui, sourire et être un misérable». Il avait manifestement oublié qu'il y a beaucoup plus de sortes de sourires que le langage ne peut en décrire : le sourire condescendant, le sourire ironique, le sourire joyeux, le sourire avenant... dont la signification précise dépend du reste de la configuration du visage, voire de l'attitude corporelle. À cet égard, les mimiques seraient comparables aux procédés expressifs de la musique, où, par le décalage d'un demi-ton, on passe du mode majeur au mode mineur, avec tout ce que cela entraîne comme changement du climat affectif. Dans l'un et l'autre cas, on perçoit moins les modifications ponctuelles que l'impression globale produite par leur addition.

Cet aspect global de la physionomie trouve sa meilleure illustration dans la caricature bien faite, qui déforme chaque trait du visage sans diminuer en rien la ressemblance de l'ensemble.

J'ignore si Cartier-Bresson s'est déjà adonné à ce petit jeu pervers, mais ses dessins au crayon, à la plume ou au pastel prouvent qu'il s'attache à scruter la diversité du faciès humain. Photographe, il s'astreint à une technique impartiale dont la propriété est d'arrêter les mouvements du visage, de les figer en quelque sorte, et cette exactitude pétrifiante fait qu'il devient encore plus difficile de cerner le caractère d'une personne qu'avec d'autres moyens d'expression plus souples.

Pour mesurer l'ampleur du problème, il faut bien comprendre que la perception d'une physionomie, aussi sommairement suggérée soit-elle, évoque chaque fois une personnalité[2]. Si tant de photos nous semblent peu convaincantes, c'est justement parce qu'elles ne paraissent représenter aucune personne de notre connaissance. Elles nous sont étrangères. On décrète une photographie «peu ressemblante» quand on ne parvient pas à faire coïncider l'expression du visage avec le répertoire connu de la personne en question. Non pas que le modèle soit bon juge en la matière : quand on se regarde dans

I André Pieyre de Mandiargues, 1991

A.P de M
9.5.91
H.CB

à André L.
amitiés d'
Henri 12.5.94
CB

la glace, on est vite tenté de rectifier l'image à notre convenance. Je sais aussi que les portraitistes redoutent l'épouse chagrinée par «quelque chose, là, du côté de la bouche» dans le portrait du mari, qui n'est pas comme elle aurait voulu, mais je suis persuadé que cette réaction part d'un sentiment sincère. On ne saurait sous-estimer la difficulté de saisir précisément l'apparence du modèle que ses intimes sont prêts à trouver ressemblante.

Cette difficulté de restituer, non pas une expression, mais l'expression voulue, les artistes l'ont connue à toutes les époques. En fait, vers le début du XVe siècle, Leon Battista Alberti écrivait avec raison qu'il est fort malaisé, «quand on veut peindre un visage qui rit, de ne pas le faire plutôt pleurant que joyeux». La lente acquisition de ce savoir-faire traverse toute l'histoire de l'art. Elle est relatée dans un ouvrage magistral de Jennifer Montagu[3], qui analyse un des grands jalons de la conquête de l'effet physionomique voulu, à savoir une conférence de Charles Le Brun sur l'expression des passions, prononcée devant l'Académie au XVIIe siècle.

La nécessité d'atteindre à une expression juste et lisible est née des impératifs de la peinture dite d'histoire, consacrée aux sujets tirés de la Bible, de la légende ou des auteurs anciens, qui trouvait son aboutissement dans les scènes anecdotiques exposées au Salon. La vocation particulière du genre du portrait était censée résider ailleurs. Depuis des temps immémoriaux, le portrait servait moins à célébrer la personnalité intime que le personnage public. L'auteur du XVIIe siècle, Roger de Piles, qui avait bien des choses judicieuses à dire sur l'art du portrait peint, rappelle que le portraitiste doit avant tout représenter la qualité du modèle conformément aux conventions ou aux règles du décorum :

«Enfin, il faut que dans ces sortes d'attitudes les portraits semblent nous parler d'eux-mêmes et nous dire, par exemple : "Tiens, regarde-moi, je suis ce roi invincible environné de majesté. Je suis ce valeureux capitaine qui porte la terreur partout, ou bien qui ai fait voir par ma bonne conduite tant de glorieux succès. Je suis ce grand ministre qui ai connu tous les ressorts de la politique. Je suis ce magistrat d'une sagesse et d'une intégrité consommées. Je suis cet homme de lettres tout absorbé dans les sciences. [...] Je suis cet artisan fameux, cet unique dans ma profession, etc. " Et pour les femmes : "Je suis cette sage princesse dont le grand air inspire du respect et de la confiance. Je suis cette dame fière dont les manières grandes attirent de l'estime, etc. Je suis cette dame vertueuse, douce, modeste, etc. Je suis cette dame enjouée qui n'aime que les rires, la joie, etc". Enfin, les attitudes sont le langage des portraits, et l'habile peintre n'y doit pas faire une médiocre attention[4]. »

Ces conventions régissaient le portrait autrefois. Ainsi, le but du portrait romain consistait le plus souvent à exprimer la *gravitas*, ce maintien digne et austère du *pater familias*, tandis qu'à la Renaissance, un maître comme Verrocchio savait porter à des dimensions monumentales, dans sa statue équestre de Bartolomeo Colleoni, la fière allure du condottiere idéal ou matérialiser, dans ses bustes de dames florentines, l'idéal social du sourire gracieux auquel son élève Léonard de Vinci allait donner une dimension énigmatique dans la *Joconde*.

C'est un fait bien connu que les premiers photographes ont adopté les normes conventionnelles du décorum à l'époque où les appareils obligeaient à de longs temps de pose. Le modèle contraint à l'immobilité affectait en général l'attitude habituellement appropriée à sa condition sociale. Encore au XXe siècle, les «photographes mondains» ont continué à réaliser des portraits conformes à ces stéréotypes.

Il y a une petite satire amusante dans un roman de l'écrivain américain Allen Wheelis[5], qui débute par une séance de photographie pour une publication médicale. Les membres du comité, dont on doit tirer le portrait, entrent l'un après l'autre et sont conviés à prendre les poses de leurs prédécesseurs figurés dans des peintures à l'huile accrochées au mur. Le héros du roman refuse de se donner l'attitude préconisée, car ce serait un mensonge : «Les jambes croisées proclament le calme et la tranquillité. Je ne suis pas agité ni inquiet, je ne saute pas sur ma chaise, sans savoir quoi faire ni où aller. Je maîtrise la situation. Les épaules bien droites parlent de dignité et de considération. Quoi qu'il

III   Kem Payne, 1991

H.EB
2·87

arrive, ce gaillard n'a rien à craindre, il est sûr de sa valeur et de sa compéten-ce. La tête complètement tournée vers la gauche, on comprend que quelqu'un a attiré son attention. Pas de doute, des tas de gens sont là à quêter un regard de lui». Après quoi, il tourne en dérision le gros livre que les messieurs tien-nent sur leurs genoux, entre autres attributs du praticien distingué.

Le héros d'Allen Wheelis se révolte contre la respectabilité boursouflée de l'establishment. Pourtant, il a beau exiger de se faire photographier en bras de chemise, cigarette aux lèvres, il ne peut éviter de représenter une catégorie reconnaissable. Mon regretté ami le peintre sir William Coldstream, qui fut un excellent portraitiste et un fin observateur des hommes, m'expliquait qu'avant de se mettre au travail, il n'invitait pas le modèle à prendre «un air naturel» comme d'aucuns le font. Il lui demandait de «faire exactement comme si on allait peindre son portrait». C'était après tout une réalité qu'il ne servait à rien d'essayer de nier ou de fuir. De ce point de vue, on pourrait dire que la plupart des portraits sont à envisager sous l'angle d'une collaboration, d'un compromis entre le portraitiste et le modèle. Face à un appareil photo, n'importe quel adulte va se surveiller et prendre la pose. Plus les circonstances sont solennelles, et plus il importe de «faire bonne figure».

Bien entendu, les instantanés, rendus possibles par le perfectionnement des optiques et des supports sensibles, permettent de prendre les gens à l'im-proviste et cette faculté a largement contribué à nous désaccoutumer des conventions du photographe mondain. C'est aussi l'instantané qui nous a mis en garde contre les périls de l'image saisie au vol, où l'on découvre tant de fois une grimace au lieu d'un visage vraiment vivant. Beaucoup de photographes prennent systématiquement une série de clichés au petit bonheur, et font le tri ensuite. Pour autant que je sache, Cartier-Bresson a toujours préféré se mettre à l'affût du moment décisif.

Le portraitiste, peintre, dessinateur ou photographe, doit prendre conscience d'un autre choix capital, qui intervient avant celui de l'expression voulue. Je ne sais pas si quelqu'un a déjà proposé de codifier cet exercice bien

IV Autoportrait, 1987

particulier, mais on pourrait partir des deux points de vue fondamentaux utilisés pour les fiches signalétiques : la face et le profil. Ces positions concernent les aspects permanents de la tête et, si l'idée ne semble pas trop puérile, on pourrait suggérer de les codifier par rapport à la direction où pointe le nez, en décrivant un quart de cercle entre la face et le profil. Ce qui compte ici, comme toujours, c'est l'interdépendance entre l'architecture du visage et ses éléments mobiles. Parmi ces derniers, on remarque d'abord les yeux, de face, et la position de la tête sur le cou, de profil.

En fait, les spécialistes de l'art dramatique et de la danse ont élaboré une codification des attitudes corporelles, mais un aspect essentiel leur échappe très souvent : ce que l'on pourrait appeler le «tonus», le degré de tension entrant dans un mouvement, qui modifie sensiblement notre réaction, aussi bien dans la vie que dans l'art.

Ce choix de paramètres, à peine esquissé ici, doit faire toucher du doigt la gamme de positions exceptionnelle explorée et exploitée dans l'art de Cartier-Bresson. La prise de vue classique, de face avec le regard posé sur le photographe, est rare. S'il l'utilise, c'est pour capter deux attitudes ou deux expressions opposées, qui se distinguent en grande partie par le *tonus*. Dans un premier cas, le modèle accapare l'attention du photographe, voire discute avec lui, comme le font John Berger (pl. 131) et Frank Horvat (pl. 17). Mais la vue de face peut aussi indiquer que le modèle, habitué à se faire prendre en photo, s'est tourné vers l'appareil et attend plus ou moins passivement le déclic. C'est ce qui se passe avec le portrait d'Igor Stravinski (pl. 41), ou avec celui de Marcel Duchamp (pl. 82), qui se cale sur son siège et observe les opérations avec un certain détachement ironique. Dans une des photographies les plus anciennes de notre sélection, celle d'Irène et Frédéric Joliot-Curie prise en 1944 (pl. 27), les deux savants regardent l'objectif selon la formule traditionnelle, mais leur posture et leurs mains trahissent leur profond embarras. Le portrait émouvant de Georges Rouault âgé (pl. 14), réalisé la même année, baigne dans un climat de résignation analogue, très loin de celui de Picasso (pl. 91), qui affronte

V Yves Bonnefoy, 1979

H.CB
8.79

11v93

l'objectif torse nu, avec une belle assurance. Une impression de totale assurance émane aussi du profil de William Faulkner (pl. 10), tandis que Max Ernst et sa femme (pl. 76) sont d'humeur pensive.

Ces deux positions fondamentales produisent un effet relativement statique. On pourrait imaginer que le modèle a gardé la pose assez longtemps, sauf quand le mouvement des yeux introduit une composante dynamique. La photographe Martine Franck (pl. 18) en offre un excellent exemple : elle détourne son regard en rêvassant sur son thé. Même le portrait de Harold Macmillan (pl. 48), qui est le plus près de se conformer aux usages conventionnels, ne manque pas de piquant avec son regard en coin.

Le facteur temps joue un rôle plus notable lorsque le modèle a l'air de se tourner vers l'appareil photo, comme dans le portrait ravissant de la pianiste Hortense Cartier-Bresson (pl. 124) ou dans celui du peintre Avigdor Arikha (pl. 29), sans parler de celui de Pierre Colle (pl. 123), dont la tête à l'envers surgit d'un lit défait. Ces mises en scènes étaient peut-être arrangées à l'avance, mais il y a aussi des clichés qui révèlent la chance et l'habileté du photographe à saisir le moment décisif. Je rangerais sous cette rubrique le portrait de Coco Chanel (pl. 35). Toute à sa conversation, elle en a oublié l'appareil photo, dirait-on. J'y mettrais aussi celui de Che Guevara radieux (pl. 96).

Je dois laisser au lecteur le soin de continuer ce classement, ou, pourquoi pas, d'inventer d'autres catégories, mais il reste encore un paramètre important à signaler, car il caractérise la totalité des photographies de Cartier-Bresson : le souci de la composition de l'image, qu'il interdit toujours de recadrer. On voit bien que c'est primordial, quand il nous montre la tête de Lucian Freud (pl. 79) tout en bas dans l'angle droit, alors que le reste de l'image est occupé par le chevalet, ou quand la célèbre tête d'Albert Camus (pl. 118) remplit tout l'espace.

Il est à noter, toutefois, que les dessins de Cartier-Bresson ne font jamais appel à ces procédés de composition. Son regard et sa main s'appliquent tout entiers à la tête isolée et à ses éléments expressifs.

Ces recherches nous amènent au dernier mystère de notre réaction devant un visage : même si nous reconnaissons aisément nos frères humains d'après le répertoire de leurs gestes et mouvements, rien ne détruit ou ne perturbe plus facilement les mécanismes de reconnaissance que les déguisements en tout genre. Allez vous acheter une perruque pas trop discrète, de préférence à cheveux longs et roux, mettez-la et vous verrez avec quels yeux écarquillés on vous accueillera au prochain dîner où vous irez. Comment expliquer ce défaut de reconnaissance ? Apparemment, il faut présumer que notre perception des gens s'appuie sur des catégories. Quand un ou une inconnue entre dans une pièce, on note tout de suite s'il s'agit d'un homme ou d'une femme, son âge approximatif et, surtout, si c'est quelqu'un de la tribu ou un étranger. Chacun des indices fournis par l'expression ne peut prendre son sens que dans un contexte préétabli. Sans ces présupposés, nous ne pourrions jamais arriver à interpréter les variations infinies de l'apparence humaine avec toutes leurs connotations sociales. Une erreur préalable provoquée par un déguisement entraîne une confusion qui dérègle les mécanismes de reconnaissance permettant de passer du général au particulier dans un même élan. Les acteurs et les metteurs en scène mettent à profit cette tendance de l'esprit humain à ranger les gens par catégories d'après leur façon de s'habiller, d'après leur allure et leur mine. Un masque couvrant la moitié du visage empêche de reconnaître la personne, et ce n'est pas pour rien que, dans les publications médicales, l'anonymat des patients est préservé par un cache sur les yeux. Ce fait remarquable n'est pas sans influer non plus sur notre réaction devant les portraits – portraits du passé ou portraits du présent. Parce qu'il s'avère que, si l'on sort le visage de son isolement pour le mettre dans un costume d'une autre époque, ou dans un uniforme d'une autre profession, il paraît complètement différent. J'ai parlé ailleurs[6] des membres du Kit-Cat Club du XVIIIe siècle, qui ont tous un air de parenté sur les murs de la National Portrait Gallery, tellement ils sont transfigurés par leurs grosses perruques. De fait, quand on regarde nos aïeux dans de vieux albums de famille – les hommes pourvus d'une grande moustache

VII Ruta Sadoul, 1976

HCB 9.76

J.G.
4.9.94 HCB

et d'un chapeau melon, les femmes en robe à corset et col montant –, les indi-vidus s'effacent derrière les types et il devient difficile de réagir devant ces images comme on le ferait devant celles de nos contemporains. Cette remarque vaut également pour les portraits de ses contemporains que Cartier-Bresson nous présente ici. Quelle impression donneront-ils, lorsque leurs manières et leurs vêtements appartiendront au passé ? Nul ne saurait le dire. Mais, puisque nous ne sommes pas troublés par les costumes d'époque dans les tableaux de Titien, de Van Dyck, de Rembrandt ou de Vélasquez, gageons qu'ils auront gardé cette étincelle de vie que seul un maître pouvait communiquer au portrait photographique.

E.H. Gombrich
décembre 1997

Traduit de l'anglais par Jeanne Bouniort

NOTES

1. J'ai abordé certaines de ces questions dans le chapitre « The Mask and the Face : The Perception of Physiognomic Likeness in Life and in Art » du livre *The Image and the Eye,* Oxford, Phaidon, 1982.

2. Dans mon livre *L'Art et l'illusion,* Paris, Gallimard, 1971, p. 424 (nou-velle édition, 1996, p. 289), j'ai appelé ce phénomène la « loi de Töpffer », du nom du peintre suisse Rodolfe Töpffer, inventeur de la bande dessinée.

3. Jennifer Montagu, *The Expression of the Passions,* New Haven et Londres, Yale University Press, 1994.

4. Roger de Piles, *Cours de peinture par principes* (1708), Paris, Gallimard, 1989, p. 136-137.

5. Allen Wheelis, *The Scheme of Things,* New York, Harcourt Brace Jova-novich, collection dirigée par Helen et Kurt Wolf, 1980, Allen Wheelis.

6. « The Mask and the Face », *op. cit.* à la note 1.

PHOTOPORTRAITS

1 Ezra Pound, 1971

3 Glenn Seaborg, 1960

2 Lily Brik-Mayakovsky, 1954

4 Alfred Stieglitz, 1946

5 Iran, 1950

6 Robert Flaherty, 1946

7 Péloponnèse, Grèce, 1953

8 Concierge du Musée Auguste Comte, Paris ; ancienne femme de chambre de Sarah Bernhardt, 1945

9 Cachemire, 1947

10 William Faulkner, 1947

11 Pablo Picasso, 1967

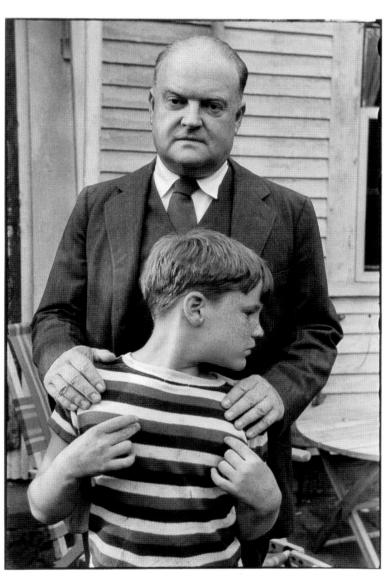

12 Edmund Wilson et son fils, 1946

13 Alexander Calder, 1970

14 Georges Rouault, 1944

15 Jean Renoir, 1967

16 Arthur Miller, 1961

17 Frank Horvat, 1987

18 Martine Franck, 1975

19 Gjon Mili, 1958

20 Hiroshi Hamaya et sa femme, 1978

21 Robert Oppenheimer, 1958

22 Pierre Bonnard, 1944

23 Henri Matisse, 1944

24 Truman Capote, 1947

25 Mary Meerson et Krishna Riboud, 1967

26 Mélanie Cartier-Bresson, 1978

27 Irène et Frédéric Joliot-Curie, 1944

28 Barbara Hepworth, 1971

29 Avigdor Arikha, 1985

30 Calle Cuauhtemocztin, Mexico, D.F., 1934

31 Tériade, 1951

32 Catherine Erhardy, 1987

33 Paul Léautaud, 1952

34 Carson McCullers et George Davis, 1946

36 Raymond Mason, 1993

35 Mademoiselle Chanel, 1964

37 Cordoue, Espagne, 1933

38 Somerset Maugham, 1951

39 Martine Franck, 1986

40 Georges Braque, 1958

41 Igor Stravinski, 1967

43 Louis Aragon, 1971

42 Nancy Cunard, 1956

44 Louis Kahn, 1960

45 Pier Luigi Nervi, 1959

46 Paul Valéry, 1946

47 Jean-Paul Sartre, 1946

48 Harold Macmillan, 1967

49 Lord Drogheda, 1967

50 Cecil Beaton, 1951

51 Pierre Bonnard, 1944

52 Julien Gracq, 1984

53 Cyril Connolly, 1939

54 Robert Lowell, 1960

55 Giorgio de Chirico, 1968

56 « Le Baron », Chouzy, France, 1945

57 André Pieyre de Mandiargues, 1991

58 L'Abbé Pierre, 1994

59 Susan Sontag, 1972

60 Carson McCullers, 1946

61 Alberto Giacometti, 1961

62 Henri Laurens avec Tériade, 1951

63 Mohammed Ali Jinnah, 1947

64 Eunuque de la dernière dynastie impériale chinoise, 1948

65 Koen Yamaguchi, 1965

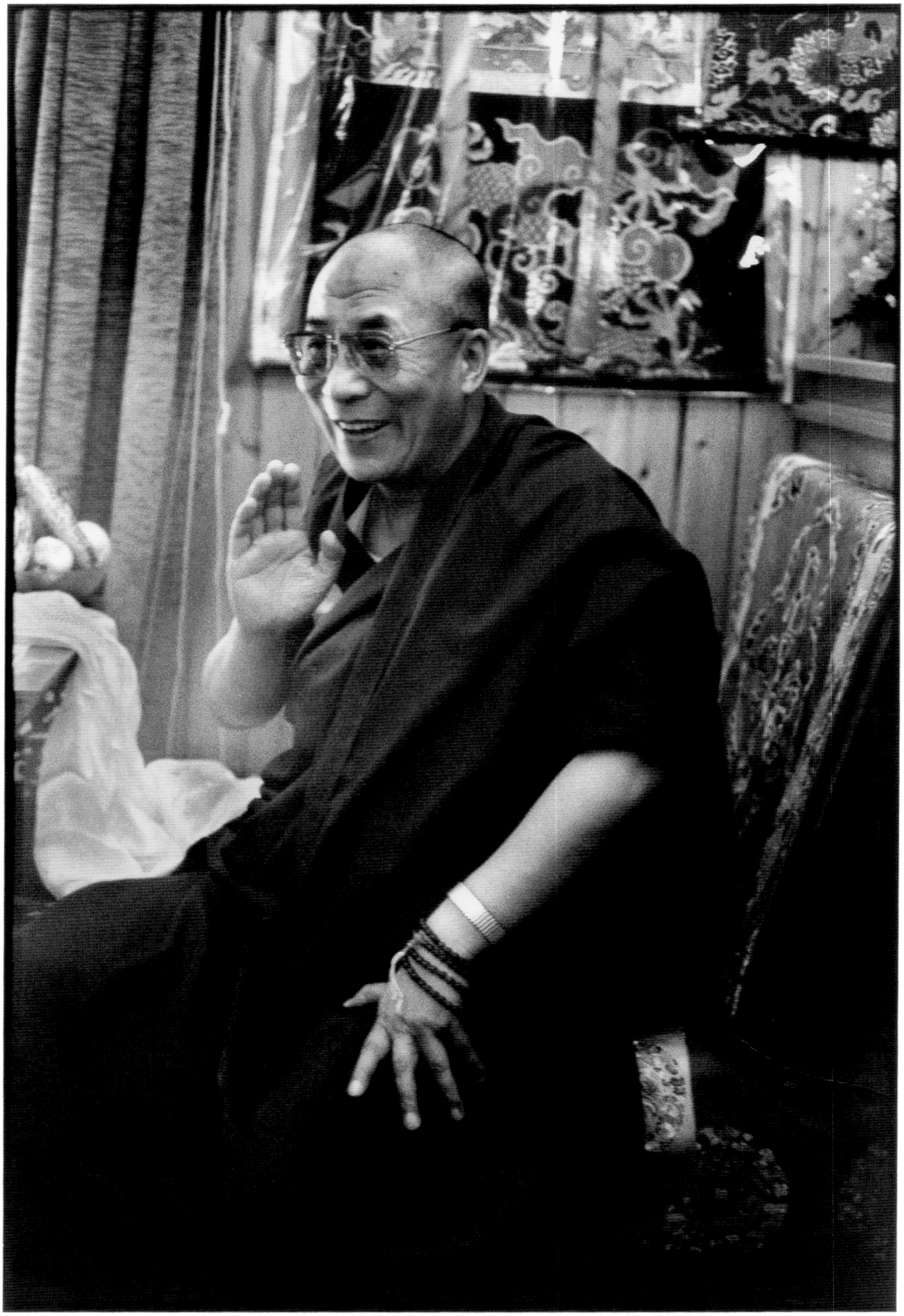

66 Tenzin Gyatso, XIVᵉ Dalaï Lama, 1991

68 Georg Eisler, 1993

67 Max Ernst, 1955

69 Harold Pinter, 1971

70 Michael Brenson, 1981

71 Louis-René des Forêts, 1995

72 Colette et sa compagne Pauline, 1952

73 Sam Szafran, 1996

74 Igor Stravinski, 1946

75 Francis Bacon, 1981

76 Max Ernst et sa femme Dorothea Tanning, 1955

77 Katherine Anne Porter, 1946

78 Svetlana Beriosova, 1961

79 Lucian Freud, 1997

80 Simone de Beauvoir, 1947

81 André Breton, 1961

82 Marcel Duchamp, 1968

83 André Pieyre de Mandiargues et Léonor Fini, 1933

85 Pierre Josse, 1961

84 Igor Stravinski, 1967

86 André Pieyre de Mandiargues, 1933

87 François Mauriac, 1952

88 Alexey Brodovitch, 1962

89 John Huston, 1946

90 Édith Piaf, 1946

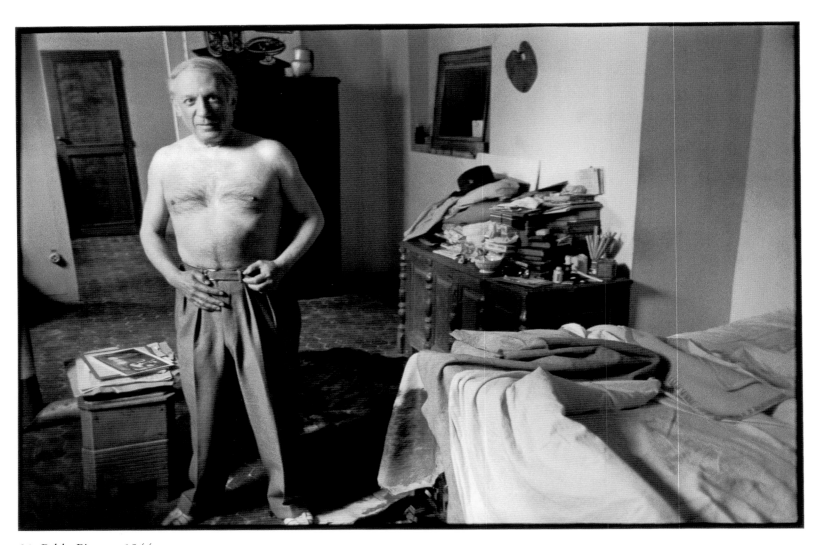

91 Pablo Picasso, 1944

92 Ousmane Sow, 1995

93 Le ghetto de Varsovie, 1931

94 Oaxaca, Mexique, 1934

95 Madurai, Inde, 1950

96 Che Guevara, 1963

97 Martin Luther King, 1961

98 René Dumont, 1991

99 Les frères Joseph et Stewart Alsop, 1946

100 Tony Hancock, 1962

101 Marilyn Monroe, 1960

102 Ted Dexter, 1961

103 Robert Kennedy, 1962

104 Robert Doisneau, 1986

105 Saul Steinberg, 1946

107 Marc Chagall, 1964

106 José Bergamin, 1969

108 Eleanor Sears, 1962

109 Joe Liebling, 1960

110 Paul Scofield, 1971

111 Dominique de Ménil, 1960

112 Le duc et la duchesse de Windsor, 1951

113 Zoltán Kodály et sa femme, 1964

114 Christian Bérard, 1946

115 René Char, 1977

117 Bram van Velde, 1977

116 Vallabhbhai Jhaverbhai Patel, 1948

118 Albert Camus, 1947

119 Alexander Schneider, 1960

120 Jeanne Lanvin, 1945

121 Samuel Beckett, 1964

123 Pierre Colle, 1932

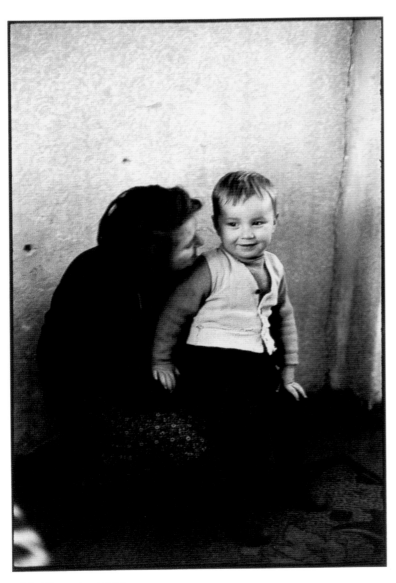

122 Hongrie, 1964

124 Hortense Cartier-Bresson, 1979

125 Jakarta, Indonésie, 1949

126 Krishna Roy entre Rita et Tara Pandit, 1946

127 Joe le trompettiste et May, 1935

128 Balthus, 1990

129 Elisabeth Chojnacka, 1991

130 Jean Genet, 1963

131 John Berger, 1994

132 Alberto Giacometti, 1961

133 Carl Gustav Jung, 1959

134 Le ghetto de Varsovie, 1931

INDEX DES NOMS

Les chiffres arabes renvoient aux numéros de planches.
Les chiffres romains indiquent les dessins.

Henri Cartier-Bresson remercie tout particulièrement
Daniel Mordac et son équipe de Pictorial Service
et Marie-Pierre Giffey de Magnum Paris.

86004